Gazzotti
Vehlmann

seuls

9 Avant l'Enfant-Minuit

DUPUIS

Merci à Bruno et Benoît, pour leur soutien et
leur implication sans faille dans la belle
aventure qu'est "Seuls".

Et merci à Géraldine, pour tout le reste.
Fabien

Couleurs = Usagi

Powered by

PEFC-Certifié
Ce produit est issu de
forêts gérées
durablement et de
sources contrôlées.
PEFC/07-31-184   www.pefc.org

D.2015/0089/062 — R.2/2016
ISBN 978-2-8001-6094-8

C'EST BON, Y'A DES CHAÎNES DANS LE GARAGE. ET MÊME UNE MOTONEIGE !

ON RETOURNERA AUX VOITURES QUAND IL NE NEIGERA PLUS.

ET ON DEVRAIT TROUVER DES VÊTEMENTS PLUS CHAUDS À L'INTÉRIEUR DU CHALET.

?...T'AS L'AIR INQUIET, YVAN.

QU'EST-CE QUI SE PASSERA SI LA NEIGE CONTINUE ET QU'ON RESTE TOUT L'HIVER DE CE CÔTÉ DE LA MONTAGNE ? JE VEUX DIRE ...DU CÔTÉ DES TERRES BASSES.

LES PREMIÈRES FAMILLES SONT PÉNIBLES, MAIS ON LES CONNAÎT. ALORS QUE LES ENFANTS ZOMBIES DE FORTVILLE, EUX ...ILS ME FONT VRAIMENT FLIPPER ...

ET SI LES TERRES BASSES CONTINUENT À S'ÉTENDRE, J'AI PEUR QUE ... QU'ELLES FINISSENT PAR NOUS REJOINDRE ICI, QUOI.

EN PLUS, ON A LAISSÉ PAS MAL DE COPAINS À NÉOSALEM : CAMILLE, ANTON, EDWIGE ...

JE SAIS, YVAN ... J'AURAIS AUSSI PRÉFÉRÉ QU'EDWIGE VIENNE AVEC NOUS, SON AIDE AURAIT ÉTÉ PRÉCIEUSE.

?!

2

ET BORIS,... JE DÉTESTE L'IDÉE QU'IL SOIT PRISONNIER ET DROGUÉ DANS LA "CHAMBRE BLANCHE", COMME LA PETITE LUCIE.

PARLE PAS TROP FORT D'ELLE DEVANT LUI ! ... LE MAÎTRE DES COUTEAUX EST ENCORE TRISTE ET FURIEUX, DEPUIS QU'ILS LUI ONT PRIS LA GAMINE !

BEN DU COUP, FAUT PEUT-ÊTRE SE DEMANDER CE QU'ON FICHE ICI, NON ?

PARCE QUE, JUSQU'À PRÉSENT, ON T'A SUIVI SANS POSER DE QUESTIONS, DODJI ! MAIS MAINTENANT, TU VAS NOUS DIRE CE QUE TU CHERCHES DANS CES FICHUES MONTAGNES ?!

JE DOIS VÉRIFIER SI C'EST PAS MOI, L'ENFANT-MINUIT,... CELUI QUE LES AUTRES APPELLENT L'ÉLU DU MAL.

COMMENT ÇA ?

HEIN ?

C'EST QUOI, L'ÉLU DU MAL ?

TU BALANCES ÇA SANS RIEN NOUS EXPLIQUER DE PLUS, DODJI ?! TU TE FOUS DE NOUS ?

« ...Y A RIEN A' EXPLIQUER. JE DOIS RETROUVER QUELQU'UN QUE J'AI VU. JE SAIS DES TRUCS QUE VOUS SAVEZ PAS. VOUS POURRIEZ PAS COMPRENDRE.

MERDE, DODJI ! LA', Y' EN A MARRE ! TU PEUX PAS JOUER LES MYSTÉRIEUX A' CHAQUE FOIS QUE ÇA T'ARRANGE !

MOI, JE REFUSE D'ALLER PLUS LOIN SI TU DÉBALLES PAS TOUT, ET MAINTENANT !

OUAIS, BEN FAIS CE QUE TU VEUX, LEÏLA ! JE VOUS AI PAS FORCÉS A' ME SUIVRE, HEIN !!

C'EST ÇA, CASSE-TOI, ON T'A ASSEZ VU !! FAUDRA PAS PLEURER SI TU DÉCOUVRES QU'ON S'EST CASSÉS A' TON RETOUR !!

FFFK BROOOOM

EUH...?

BROOO

BROOO...

ILS SE SÉPARENT. C'EST LE MOMENT D'INTERVENIR.

JE ME CHARGE DE DODJI... AVEC JOACHIM... OCCUPEZ-VOUS DES AUTRES QUAND LA NUIT TOMBERA.

ET RAPPELEZ-VOUS QU'ÉLOI LES VEUT VIVANTS... ET SANS QU'ILS PUISSENT AVERTIR QUI QUE CE SOIT PAR TÉLÉPHONE.

4

APRÈS TOUS CES MOIS DE SOLITUDE, JE NE M'HABITUE TOUJOURS PAS À VOIR AUTANT DE MONDE !

FAUT DIRE QU'ON DOIT ÊTRE PLUS D'UN MILLIER À NÉOSALEM.

COMMENT ÇA SE FAIT QU'AUTANT D'ENFANTS AIENT PU MOURIR À LA FOIS ?

NON, NON, CAMILLE... SI NOUS SOMMES NOMBREUX, C'EST PARCE QUE CERTAINS ENFANTS DE LA 7e FAMILLE SONT MORTS TROIS ANS AVANT NOUS, D'AUTRES SIX ANS...

CERTAINS ENFANTS DE LA 6e SONT PLUS VIEUX ENCORE... J'AI L'IMPRESSION QU'ILS VIENNENT D'ÉPOQUES TRÈS ANCIENNES !

C'EST POUR ÇA QU'ILS SONT PLUS EXPÉRIMENTÉS ET QU'ILS GOUVERNENT LA VILLE ?

ET ÇA EXPLIQUE AUSSI LEUR APPARENCE : JE PENSE QUE LEURS YEUX ET LEURS CHEVEUX S'ÉCLAIRCISSENT AVEC LE TEMPS.

COMME S'ILS VIEILLISSAIENT... MAIS SANS JAMAIS GRANDIR ?

MAÎTRESSE ? ...

VOUS ÊTES INVITÉE À DÎNER PAR L'ÉLU DES PREMIÈRES FAMILLES. ON M'A DEMANDÉ DE VOUS AIDER À METTRE CECI.

⑤

HOULÀLÀà`... CETTE ROBE EST VRAIMENT TRÈS, TRÈS BELLE !

ELLE A ÉTÉ FAITE PAR LES MEILLEURS ARTISANS DE LA 6e FAMILLE.

ZAHIA, JE ... JE VOULAIS TE DIRE QUE J'ÉTAIS DÉSOLÉE QUE TU SOIS RESTÉE DANS LA 8e FAMILLE À CAUSE DE NOUS,...

C'ÉTAIT TRÈS IMPORTANT POUR DODJI QUE ...

AVEZ-VOUS QUELQUE CHOSE À ME DEMANDER, MAÎTRESSE ? ORDONNEZ ET J'OBÉIRAI.

EUH ? NON, JE N'AI RIEN À DEMANDER, JE ...

ALORS PUIS-JE PARTIR ? J'AI BEAUCOUP DE TRAVAIL À TERMINER.

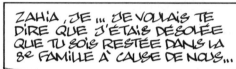

TU PEUX PARTIR, OUI.

"... JE RECONNAIS CE COIN ... C'EST PAR ICI QUE J'AI ENTENDU LA VOIX.

RRRRR... KEUF... RR...

?!

"... J'AI POURTANT SUFFISAMMENT REMPLI LE RÉSERVOIR ...

"... C'EST LA MÊME CHOSE QUE DANS LES TERRES BASSES!

ÇA PARAÎT NICKEL, ICI. ON VA PASSER LA NUIT ICI EN ATTENDANT QUE DODJI REVIENNE.

JE NOUS FAIS UN TRUC À MANGER?

"...

"...VOUS TROUVEZ PAS QU'Y A QUELQUE CHOSE QUI CLOCHE, ICI?

TU PARLES DE QUOI?

JE SAIS PAS ...JE RESSENS UNE SENSATION BIZARRE, MAIS J'ARRIVE PAS À DIRE QUOI...

HÉÉÉ, REGARDEZ C'QUE AJZA A TROUVÉ SUR UNE TAB'!!

UN MOT?

DONNE VITE!

NAN, C'EST NOUS QUI L'A TROUVÉ, ALORS C'EST NOUS QUI LE LIT!!

A' ... A' QUI ... QUI TRÔHU ... TROUEUVIRA ...

CE ... MÉSSÂGUE ? ...

MESSAGE.

J'LE SAVAIS = MESSAGE ... NOUS ADR ... ADRÉ ... ADRÉSS ...

BON, ALLEZ, FILE-MOI ÇA, C'EST INSUPPORTABLE!

?!

HÉÉÉ! MAIS C'EST À MOI!

ALORS, IL S'AGIT DE DEUX ENFANTS ... TOUT LE MONDE A DISPARU, BLABLA, ILS ONT DÉCIDÉ DE QUITTER CE VILLAGE ...

"... ET PROPOSENT À QUI TROUVERA CE MOT DE LES RETROUVER À MOULIN-VALLON ... C'EST SIGNÉ ZÉPHYR ET ANNETTE ET C'EST DATÉ ... ?!!

AH! TU VOIS QU'Y A DES MOTS COMPLIQUÉS!

"... C'EST DATÉ DE 9 ANS APRÈS NOTRE MORT ?!!

8

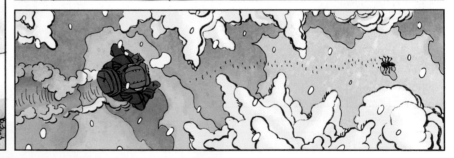

9

OUI, C'EST ÇA, ANTON ... DU COUP, ON A FAIT UN CALCUL.

A PRIORI, UN MOIS ÉCOULÉ DANS LES LIMBES, C'EST PRESQUE UN AN CHEZ LES VIVANTS. LE TEMPS PASSE PLUS VITE POUR EUX !

ÇA SEMBLE CONTREDIRE MES PREMIÈRES THÉORIES SUR LE TEMPS ... QUEL BEAU DÉFI INTELLECTUEL !

RAVI QUE ÇA TE FASSE PLAISIR ... NOUS, ÇA NOUS A FICHU UN GROS COUP DE CAFARD !

J'PENSE À MES COUSINS, QUI ONT DÛ VIEILLIR ET DEVENIR DES ADULTES ... LES AUTRES PENSENT À LEURS FRÈRES ET SOEURS, OU À LEURS PARENTS, JE TE DIS PAS L'AMBIANCE !

ET DE TON CÔTÉ, ÇA SE PASSE COMMENT ?

SUPER ! LES SAGES M'ENCOU-RAGENT. MON "ÉTUDE DES LIMBES", MA VISION MODERNE DES CHOSES LES INTÉRESSENT BEAUCOUP !

TU PENSES TOUJOURS QUE CE SONT NOS ESPRITS RÉUNIS QUI DONNENT FORME AUX LIMBES QUI NOUS ENTOURENT ?

OUI, ÇA DOIT AVOIR UN LIEN AVEC CE QU'ON APPELLE "L'INCONSCIENT COL-LECTIF", DANS LEQUEL UN PSY VOYAIT LA SOURCE DES PRES-SENTIMENTS ...

M'ENFIN, ON VOIT DES TRUCS QU'ON N'AVAIT JAMAIS VUS AVANT ! PAR EXEMPLE CETTE STUPIDE BOULE À NEIGE ... OU DES VILLES QUE NOUS TRAVERSONS POUR LA PREMIÈRE FOIS ! OU LES LIVRES QUE TU LIS !!

C'EST VRAI ... MAIS CET IMAGINAIRE COLLECTIF DOIT MÉLANGER DES MILLIARDS DE SOUVENIRS DIFFÉRENTS, ET DÉPASSER DE TRÈS LOIN NOS CONNAISSANCES INDIVIDUELLES !

11

ET DU COUP, JE ME DIS AUSSI QUE NOUS DEVONS TOUS PLUS OU MOINS INFLUENCER NOTRE ENVIRONNEMENT PROCHE... MÊME DE MANIÈRE PRESQUE IMPERCEPTIBLE.

POUR VÉRIFIER MA THÉORIE, JE DOIS SAVOIR UN TRUC SUR TES LUNETTES.

GNEIN ?

COMBIEN DE FOIS TU LES AS PERDUES, TES LUNETTES, DEPUIS QUE TU ES DANS LES LIMBES ?

HOULÀ ! JE COMPTE PLUS ! QUAND J'ÉTAIS IVRE, QUAND JE ME SUIS JETÉ D'UNE GRUE, QUAND J'AI ÉVITÉ UN OBUS...

ET TU EN AVAIS COMBIEN DE RECHANGE ?

EUH... AUCUNE, MAINTENANT QUE TU LE DIS !

VOILÀ !! JE CROIS QUE QUAND TU PERDS TES LUNETTES, TON ESPRIT LES RECRÉE PEU DE TEMPS APRÈS, PARCE QUE, D'UNE CERTAINE FAÇON, ELLES FONT PARTIE DE TOI !

...ALORS ÇA VEUT DIRE QUE JE POURRAIS DÉVELOPPER DES SUPER-POUVOIRS COMME LES JEDI ?!

NOUS, JE SAIS PAS, MAIS PEUT-ÊTRE QUE CERTAINS ENF...

MIP

D'AAAAACCORD, PLUS DE BATTERIE... C'EST PAS GAGNÉ POUR LES SUPER-POUVOIRS, VISIBLEMENT.

12

SAUL, JE... J'EN SERAIS HONORÉE ! MAIS ...ÇA DOIT ÊTRE DE TRÈS GROSSES RESPONSABILITÉS ! IL FAUT QUE J'Y RÉFLÉCHISSE UN PEU, D'ACCORD ?

JE COMPRENDS.

...ET PUIS EN PLUS, TU M'AS DÉJÀ ÉPOUSÉE ! TU VOULAIS MÊME ME FAIRE DES BÉBÉS !

JE ME TROMPAIS ...LES SAGES M'ONT APPRIS QUE C'EST IMPOSSIBLE DANS LES LIMBES.

À L'ÉPOQUE, TU SAVAIS DÉJÀ QUE NOUS ÉTIONS MORTS ?

OUI, J'EN AI EU L'INTUITION DÈS MON RÉVEIL, SEUL DANS LE PARC ...ET DEPUIS, JE... JE ME SUIS RAPPELÉ COMMENT ÇA M'EST ARRIVÉ.

ÇA S'EST PASSÉ LA NUIT ...C'ÉTAIT DÉJÀ DANS LE BASSIN AU REQUIN.

MAIS VIENS ...DÉPÊCHONS-NOUS DE MANGER, NOS PLATS VONT REFROIDIR ...

14

"...DONC, D'APRÈS ANTON, QUAND LES DEUX ENFANTS DE CE VILLAGE SONT MORTS, ILS ONT "CRÉÉ" UN MORCEAU DE LEUR ÉPOQUE DANS LES LIMBES?

VOUS AVEZ VU? MÊME LES DATES DE PÉREMPTION DATENT DE 9 ANS APRÈS NOUS!

C'EST DES CACAHUÈTES DU FUTUR??

C'EST ÇA QUE J'AI DÛ RESSENTIR EN ARRIVANT ICI.

MAIS COMMENT TU T'EN SERAIS RENDU COMPTE?... ÇA SAUTE PAS AUX YEUX, QUAND MÊME!

C'EST VRAI QUE C'EST ZARB... C'EST COMME SI J'AVAIS EU UNE PRÉMONITION!

EEEH, MAIS SI ON EST 9 ANS APRÈS NOUS, ALORS **ON DOIT POUVOIR TROUVER DES JOUETS DU FUTUR?!**

ILS SONT FORCÉMENT CACHÉS KÉKPART!! VIENS, AJZA, FAUT LES CHERCHER!!

"...Y EN A QUI CHANGERONT JAMAIS!

HA! HA!

KLAK!

C'EST... C'EST VOUS QUI M'AVEZ APPELÉ, L'AUTRE FOIS...

POURQUOI VOUS EN AVEZ APRÈS MOI ?...EST-CE QUE C'EST MOI L'ENFANT-MINUIT ?

16

⑲

TZOOOiiiNG

SNAP!

18

HH...
HH...

?

HAAA!

BROF

...JE T'AI VU AVEC LE MAÎTRE-FOU !! QU'EST-CE QU'IL TE VOULAIT ? RÉPONDS !!

...MAIS J'EN SAIS RIEN, MOI ! JE SAIS MÊME PAS QUI C'EST !!

...JE CRAIGNAIS D'ÊTRE L'ÉLU DU MAL, ET MAINTENANT, JE... JE PIGE PLUS RIEN À CE QUI SE PASSE, MERDE !!

QU'EST-CE QU'ON FAIT ? ÇA CHANGE NOS PLANS, PAS VRAI ?

ÇA CHANGE TOUT. ÇA FAIT TROP LONGTEMPS QUE LES PREMIÈRES FAMILLES ATTENDENT UNE OCCASION POUR PIÉGER CETTE ORDURE.

JOACHIM, TU VAS SUIVRE MES INSTRUCTIONS À LA LETTRE.

19

SALUT CAMILLE... PAS ENCORE AU LIT, À CETTE HEURE-CI ?

J'ARRIVE PAS À DORMIR.

T'AS VU EDWIGE QUI S'ENTRAÎNE ? UNE VRAIE FURIE. À CE RYTHME, ELLE SE FERA PLUS VITE EMBAUCHER PAR LA 6e QUE MOI !

DIS... JE VOULAIS TE DEMANDER UN TRUC SUR SAUL, CHARLIE, TU PROMETS DE RÉPONDRE FRANCHEMENT ?

?... JE T'ÉCOUTE.

À FORTVILLE, C'EST LUI QUI A DEMANDÉ QUE LA BIBLIOTHÈQUE SOIT INCENDIÉE, QUAND YVAN ET ANTON ÉTAIENT ENCORE À L'INTÉRIEUR ?

"...

C'EST MOI QUI AI MIS LE FEU, MAIS "...

"... MAIS C'EST SAUL QUI M'EN A DONNÉ L'ORDRE, OUI.

IL DISAIT QUE ÇA N'AVAIT PAS D'IMPORTANCE, PUISQU'ON EST IMMORTELS."...C'ÉTAIT AVANT DE SAVOIR CE QUE ÇA FAIT VRAIMENT DE MOURIR."...ET EN PLUS, ON N'EST MÊME PAS SÛRS DE REVENIR APRÈS.

"... JE LUI EN VEUX ENCORE POUR ÇA.

20

CE QUE J'AIMERAIS TROP AVOIR, C'EST SUPER MARIO, MAIS AVEC DES ODEURS EN 3D !

TU VEUX DIRE AVEC DU RELIEF QUI PUE ?

VOILÀ ! MAIS POUR L'INSTANT, J'TROUVE RIEN DU TOUT, C'EST NUL !

BOM !

?

C'ÉTAIT QUOI CE BRUIT ?

NE JOUEZ PAS AUX HÉROS... NOUS N'HÉSITERONS PAS À TIRER.

RHRR !

LEÏLA, QU'EST-CE QUE ... ?!

LAISSE TOMBER, YVAN, ON PEUT RIEN FAIRE MAINTENANT.

IL MANQUE LES DEUX PLUS PETITS.

REGARDEZ S'ILS NE SONT PAS SORTIS DE LA MAISON.

PFUUUUU ! JUSTE À TEMPS !!

CHHH !

21

J ... JE TE SERS D'APPÂT, C'EST ÇA ?

SI LE MAÎTRE-FOU EN A APRÈS TOI, IL NE LÂCHERA PAS L'AFFAIRE DE SI TÔT.

JE TE PLAINS, DODJI.

CAR QUOI QU'IL ADVIENNE DANS LES HEURES QUI VIENNENT, TU SERAS PERDANT.

TOUJOURS PAS DE TRACES DES MORVEUX ?

ON VERRA ÇA DEMAIN : S'ILS SONT SORTIS, ON LES PISTERA FACILEMENT DANS LA NEIGE, ET S'ILS SONT DANS LA MAISON, ON LES TROUVERA À LA LUMIÈRE DU JOUR.

HOLÀLÀ ! C'EST HORRIB' ! FAUT FAIRE KÈKCHOSE MAIS JE SAIS PAS QUOI !

SUIS-MOI TRÈS DOUCEMENT.

?

22

T'ES SÛRE QUE C'EST UNE BONNE IDÉE ?

CHHH!

J'"" ESPÈRE JUSTE QU'ILS N'AURONT PAS ALERTÉ DES AMIS À NÉOSALEM : ÉLOI SERAIT FURIEUX.

ON PEUT GAGNER DU TEMPS... JE VAIS LEUR FAIRE DIRE OÙ SONT PLANQUÉS LEURS COPAINS.

LAISSE TOMBER, GASPARD, TU SAIS QU'ACHILLE N'AIMERAIT PAS ÇA.

ALLEZ, ÇA PRENDRA QU'UNE MINUTE... Y A QU'À CHOISIR CELUI QUI PARLERA LE PLUS VITE.

À VUE DE NEZ, JE DIRAIS LE BINOCLARD, HA! HA!

KLAK!!

!!

VIIIIIITE! REDESCENDS, MAINTENANT!

ATTENDS, JE PRENDS LES FUSIBLES !

C'EST UN TRUC QUE MON PAPA A FAIT UNE FOIS OÙ ON AVAIT DES PROBLÈMES AVEC LES POLICIERS DE MON PAYS.

!!

ILS ONT TOUT COUPÉ !!

ALLEZ CHERCHER VOS LAMPES ET TROUVEZ-MOI CES VERMINES !!

SUIS-MOI, JE VAIS FAIRE DE LA LUMIÈRE AVEC MON PORTABLE.

23

VOUS PENSEZ AVOIR TROUVÉ LES DEUX ÉLUS ET VOUS NE ME PRÉVENEZ QUE PAR PIGEON VOYAGEUR... VOUS RÉALISEZ LE TEMPS QUE CELA M'A FAIT PERDRE ?

"... DIANE ET LUCIUS M'ONT INTERDIT DE T'APPELER PAR RADIO !

TOUSSAINT, TU SAIS COMME NOUS QUE LES MACHINES NE SONT PLUS FIABLES QUAND LES FORCES DU MAL SE MANIFESTENT À NOUVEAU !

DIS PLUTÔT QUE CES TECHNO-LOGIES T'EFFRAIENT, LUCIUS ! ... TU ES RESTÉ DÉFINITIVEMENT BLOQUÉ DANS LE PASSÉ, TU NE CHANGERAS JAMAIS !

SI TU ES SI MALIN, TOUSSAINT, DIS-NOUS CE QUE TU AURAIS FAIT SI TON ENGIN S'ÉTAIT ARRÊTÉ DE FONCTIONNER EN PLEIN VOL ?

JE SERAIS MORT UNE FOIS DE PLUS, VOILÀ TOUT ! C'EST UN RISQUE À COURIR QUAND ON EST AU SEUIL D'UNE NOUVELLE GUERRE DES LIMBES !

TOUSSAINT, TU NE ...

NE ME FAITES PLUS PERDRE DE TEMPS, VOTRE MOLLESSE M'ÉCOEURE.

ÉLOI, TU VAS ME RACONTER TRÈS EXACTEMENT CE QUI S'EST PASSÉ DEPUIS L'ARRIVÉE DES ENFANTS DE FORTVILLE... ET N'OUBLIE AUCUN DÉTAIL !

25

"...JE RETOURNE AU SALON, CONTINUEZ À CHERCHER LES AUTRES !

?

QU'EST-CE QUE... ?

J'EN AI VU TROIS S'EN-FERMER LÀ !!

BOM BOM

VA CHERCHER UN BANC !

"...ILS NOUS ONT REPÉRÉS !

ON SE CASSE EN SKI, Y'A DES CHAUSSURES À NOTRE TAILLE !

MAIS JE SAIS PAS SKIER, YVAN !

MOI NON PLUS.

OH...

27

29

MERDE!... ILS SONT PARTIS PAR LÀ !

ON VA CHERCHER LES SKIS, VITE !

!!!POURVU QU'ILS NE PENSENT PAS À CHERCHER AJZA ET ZOÉ SUR PLACE !

OH PUNAISE, J'Y VOIS QUE DALLE, MOI !

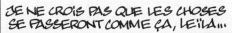

LAISSE-MOI PARTIR AVEC CET ENFANT, ACHILLE ... IL EST À MOI, DÉSORMAIS.

... JE NE SUIS À PERSONNE, BORDEL ...

ET J'ATTENDRAI PAS COMME UN MOUTON À L'ABATTOIR !!! RHAAAAA !!
KRRIIII !

... IL A LANCÉ SON ATTAQUE !

C'EST LE MOMENT !!

GNNNN !!

32

TAK !!

DROOMMDKRRUUUU...

TU VAS PAYER POUR AVOIR TRAHI LA 5e FAMILLE, MELCHIOR !

TU VAS PAYER POUR JEZABEL !!

...MMM

HA!...HA!

!!

34

KRAK

BROK

BROOF

...WOW...

OH ! BONJOUR CAMILLE, JE SUIS HEUREUX DE TE REVOIR !... TU AS PU RÉFLÉCHIR À MA PROPOSITION ?

JE SUIS VENUE TE DIRE QUE J'ÉTAIS PRÊTE À DEVENIR TON IMPÉRATRICE, SAUL ... MAIS À CONDITION QUE TU ME FASSES UNE PROMESSE.

JE VEUX QUE LES ENFANTS DE LA 8e FAMILLE ARRÊTENT D'ÊTRE TRAITÉS COMME DES ESCLAVES.

"...J'AI PEUR QUE CE SOIT IMPOSSIBLE, CAMILLE. CELA FAIT PARTIE DES TRADITIONS DES PREMIÈRES FAMILLES, JE NE ...

TU NE PEUX PAS OU TU NE VEUX PAS, SAUL ?

QU'EST-CE QUE TU VEUX DIRE ?

JE TE TROUVE BIZARRE, CAMILLE... J'AI L'IMPRESSION QUE TU ME CACHES QUELQUE CHOSE ET JE N'AIME PAS ÇA.

SAUL, JE SAIS QUE C'EST TOI QUI AS ORDONNÉ D'INCENDIER LA BIBLIOTHÈQUE À FORTVILLE.

42

JE VEUX CRÉER UN NOUVEAU MONDE, CAMILLE ... NOUS N'AVONS PAS À NOUS ENCOMBRER DE VIEUX LIVRES POUSSIÉREUX.

... ALORS TU L'AS FAIT ! ALORS QUE MES AMIS AURAIENT PU ÊTRE BRÛLÉS VIFS !!

SAUL, C'EST COMME SI ... SI TU NE TE SOUCIAIS PAS DU MAL QUE TU PEUX FAIRE AUX AUTRES !

CAMILLE, NON, NE ...

ÉLOIGNE-TOI D'ELLE !

... IL ÉTAIT VRAIMENT TEMPS QUE J'ARRIVE À NÉOSALEM.

WIF WIF

QU'EST-CE QUE ÇA VEUT DIRE ? QUI ÊTES-VOUS ?

TU ES CAMILLE, C'EST ÇA ? LA GAMINE DE FORTVILLE ?

OUI, POURQUOI ?

?!

43

CAMILLE!!

TOI, N'APPROCHE PAS.

TOUSSAINT...?! MAIS N... NOUS DEVIONS JUSTE L'ENFERMER DANS LA CHAMBRE BLANCHE!

WIF! WIF! WIFF!!

SI ELLE EST DU BON CÔTÉ, ELLE REVIENDRA COMME LES AUTRES, SINON ...

''

FFFRRRRRRRRRR

FRRRFFFFRRRRRRRFFRRFFR

?!

KAÏ

FFFRRRRRFFKRRRRR

44

46

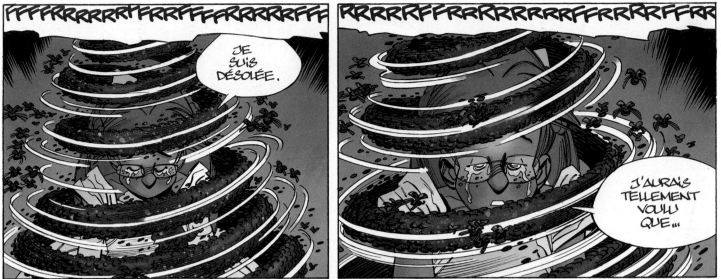

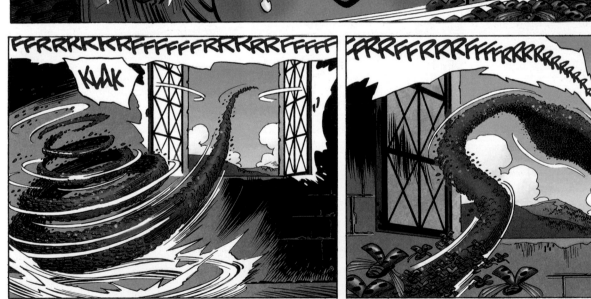